AVEZ-VOUS LU

les classiques de la littérature ?

ISBN : 978-2-36981-229-6

www.editions-ruedesevres.fr

Dépôt légal : octobre 2018
Imprimé en France par Clerc

SOLEDAD BRAVI PASCALE FREY

AVEZ-VOUS LU
les classiques de la littérature ?

RUE DE SÈVRES

La Princesse de Clèves
de Madame de La Fayette

Le livre paraît en 1678 de manière anonyme.
Les soupçons se portent très vite sur Madame de La Fayette, qui nie, avant de finir par reconnaître cette maternité quelques années plus tard. Dès sa sortie, le roman remporte un gros succès et surtout divise le public en deux camps. Une scène surtout suscite les chamailleries : celle où la princesse avoue à son mari qu'elle est très tentée de le tromper… Vraisemblable ou pas ? Un journal, le *Mercure galant*, lance même un mini-sondage auprès de ses lecteurs. Ces réserves n'empêchent pas à cette œuvre, considérée depuis toujours comme majeure, de faire une superbe carrière. Avec le concours inattendu, il y a une douzaine d'années, d'un homme politique qui avouait avoir peiné à le terminer. Ses propos provoquèrent une brise de révolte allant de lectures-marathons à la diffusion de badges « Je lis *La Princesse de Clèves* », en passant par un pic de ventes !

Marie-Madeleine Pioche de la Vergne naît en 1634. À 16 ans, elle devient demoiselle d'honneur de la reine. En 1655, elle se marie avec le comte François de La Fayette, de dix-huit ans son aîné. Elle donne naissance à deux garçons en 1658 et 1659. En 1661, Louis XIV monte sur le trône. Ça tombe bien, elle est très copine avec sa belle-sœur (Henriette d'Angleterre). Elle tient salon, fréquente le tout-Paris et le tout-Versailles. En 1662, elle écrit (sans la signer) une nouvelle, *La Princesse de Montpensier*. En 1672, elle commence l'écriture de *La Princesse de Clèves* en collaboration avec le duc de La Rochefoucauld (qui a publié ses célèbres *Maximes* quelques années auparavant). Elle meurt en 1693.

La Princesse de Clèves

1 Madame de Chartres cherche un beau parti pour sa fille

2 le prince de Clèves croise la jeune fille dans une bijouterie

3 il a un coup de foudre, elle, elle veut faire plaisir à sa mère

4 elle l'épouse, elle n'est pas dingue de lui, mais elle a des principes

5 elle rencontre à un bal le duc de Nemours

6 c'est un tombeur qui enchaîne les conquêtes

7 mais là, c'est le grand Amour, avec un grand A

8 il abandonne toutes ses maîtresses

9 la princesse de Clèves décide de s'éloigner à la campagne

10 elle avoue à son mari la raison de son exil

11 le prince de Clèves devient fou de jalousie

12 il en tombe même malade et meurt de chagrin

13 le duc de Nemours se dit qu'il a une ouverture

14 mais la princesse de Clèves se sent coupable de la mort de son mari

j'ai pas couché mais je me sens coupable

15 et se dit que si elle cède au duc, il est bien le genre à l'oublier après

16 elle préfère aller dans un couvent

Bel-Ami
de Guy de Maupassant

Elles sont toutes folles de lui : épouses, maîtresses, amies des épouses, filles des amies… Surnommé Bel-Ami par une jeune amoureuse, Georges Duroy ne se contente pas d'aimer les femmes, il préfère bien plus encore l'argent. Il débarque à Paris avec quelques francs en poche, il en aura 500 000 trois ans plus tard. À travers l'irrésistible ascension de cet aventurier, dont la seule ambition est de gravir quatre à quatre les échelons qui le conduiront au sommet, Guy de Maupassant raconte la société de son époque, la vie parisienne, le monde de la presse, la classe politique. Un décor qui sert à décrire l'arrivisme d'un héros sans aucun scrupule et « la plus jolie collection de coquins et de coquines qu'on puisse imaginer », comme l'écrivait un critique de l'époque. *Bel-Ami* paraît en 1885 et rencontre un accueil partagé. On lui reproche le succès invraisemblable de Georges, trop rapide. Cela ne l'empêche pas de devenir immédiatement un best-seller, et de le rester.

Guy de Maupassant naît le 5 août 1850. Il passe son enfance à Étretat auprès de sa mère (ses parents sont séparés) passionnée de littérature. Après ses études, il entre au ministère de la Marine, à Paris. Parallèlement, il travaille auprès de Flaubert, un ami d'enfance de Mme de Maupassant. Celui-ci le conseille dans ses lectures, lit ses premiers manuscrits et lui présente ses confrères écrivains. Le jeune Maupassant commence à collaborer à divers journaux, puis se lance dans l'écriture de nouvelles. Le succès de *Boule de suif* en 1880 le pousse à se consacrer à la littérature. Il devient un auteur à la mode et prolifique, jusqu'à ce qu'une maladie nerveuse l'handicape peu à peu : il souffre notamment d'hallucinations et de dédoublement de la personnalité. Après une tentative de suicide, il est interné et meurt le 6 juillet 1893.

Bel-Ami

1 Georges Duroy vient d'un milieu modeste, il part tenter sa chance à Paris

je suis dévoré par l'ambition

2 il est seul, pauvre, et vit dans un taudis

mais je suis beau gosse

3 il rencontre dans la rue un ancien copain de l'armée

Charles Forestier

4 celui-ci le fait entrer dans le journal où il travaille "La Vie française"

5 tout le monde devant son charme et sa moustache irrésistible le surnomme "Bel-Ami"

6 il gagne mal sa vie mais s'est trouvé une maîtresse

7 la femme de son ami Forestier, Madeleine, aide Bel-Ami à rédiger ses articles

8 Forestier, malade, meurt, Bel-Ami épouse Madeleine alors que le corps est encore chaud

9 très ambitieux tous les deux, ils traînent dans les milieux politiques

10
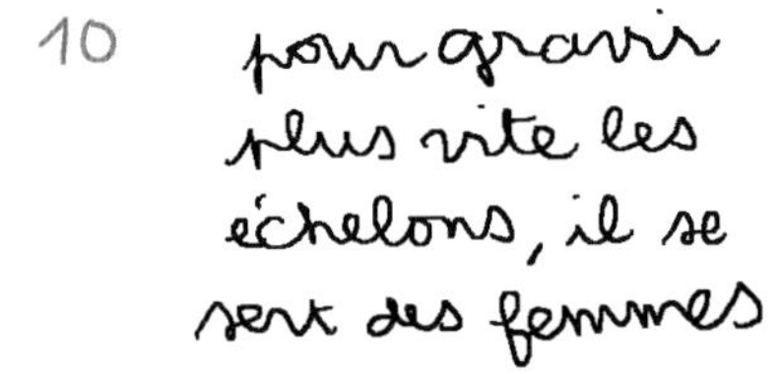

11 mais il la largue rapidement

12 il divorce de Madeleine car elle le trompe avec un ministre

13 il convoite maintenant la fille de son patron et de sa maîtresse

14 la mère refuse qu'ils se voient alors Suzanne fugue pour retrouver Bel-Ami

15 Bel-Ami se marie avec Suzanne

16 et sur le perron de l'église, il envisage de reprendre sa relation avec sa première maîtresse, Clotilde

Belle du Seigneur
d'Albert Cohen

Comment un vieux monsieur qui ne quittait pas sa robe de chambre et vivait dans un petit appartement de Champel, le Neuilly genevois, a-t-il pu écrire l'un des plus fougueux romans d'amour du XXe siècle, l'idylle un brin déjantée entre la protestante Ariane et le juif Solal, un délire de plus de mille pages où le drame côtoie le rire, l'amour fou et la haine ? Ce manuscrit, Albert Cohen l'a commencé à la fin des années trente. Lorsqu'il le présente à Gaston Gallimard, celui-ci lui demande d'en couper la moitié. Il lui faudra trente ans pour y parvenir et c'est sa troisième épouse, Bella Cohen, qui le tapera sous sa dictée. À 72 ans, en mai 68, il remporte le grand prix du roman de l'Académie française. Ce printemps-là, cependant, les Français ont d'autres pavés en tête et se sentent assez peu concernés par les monologues d'Ariane dans son bain. Albert Cohen a ses lecteurs inconditionnels, mais il faudra Bernard Pivot et son célèbre *Apostrophes* de Noël 1977 pour qu'il connaisse un succès public.

Albert Cohen naît à Corfou le 16 août 1895, dans une famille juive influente de l'île. Lorsqu'il a 5 ans, les Cohen déménagent à Marseille où, plus tard, au lycée, il fera la connaissance de Marcel Pagnol qui deviendra l'un de ses plus proches amis. En 1913, il part pour suivre ses études de droit à Genève. Il se marie en 1919 avec Élisabeth Brocher, fille de pasteur et l'une de ces protestantes qui le fascinent tant. Il travaille au BIT (Bureau international du travail), a une fille, perd sa femme, se remarie, divorce, se remarie. Son héroïne, Ariane, est probablement un mélange de toutes ces épouses-maîtresses-amies. Il publie son premier roman, *Solal*, en 1930. Prend son temps pour les autres. Et meurt, écrivain reconnu, en 1981.

Belle du Seigneur

1 Solal est fou, beau, irrésistible

2 Ariane est grande, belle et distinguée

3 Adrien est le mari d'Ariane, il est fonctionnaire, sous les ordres de Solal

4 Solal rencontre Ariane dans un cocktail

5 il rentre chez elle, par la fenêtre, déguisé en clochard

6 le mari passe ses journées à tailler des crayons...

7 ... et à téléphoner à sa femme

8 Ariane, elle, passe beaucoup de temps dans son bain et à repousser son mari

9 Solal envoie le mari en mission, pendant douze semaines

10 le mari est super heureux de ce voyage

quelle promotion !

11 Solal se lance un défi : rendre Ariane folle amoureuse de lui

12 Coup de foudre absolu... Ariane devient la Belle du Seigneur le soir même du départ de son mari

13 le mari revient de sa mission, les amoureux s'enfuient

14

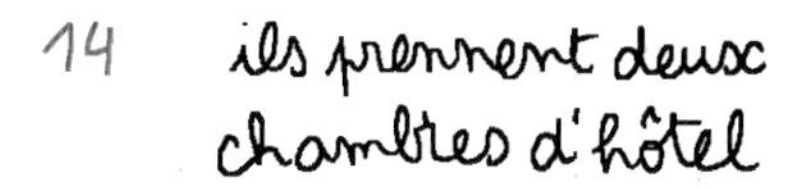

15 ils finissent par s'ennuyer, ils ne peuvent plus vivre ensemble

16 ils décident de se suicider en même temps

Au Bonheur des Dames d'Emile Zola

La lutte pour la survie des petits commerces face aux grandes surfaces, la difficile condition des employés et un #metoo avant l'heure avec Octave Mouret, le patron, qui fait son marché parmi ses vendeuses : *Au bonheur des Dames*, publié en 1883, aurait pu être écrit aujourd'hui ou presque. Onzième volume des Rougon-Macquart, ce roman s'inspire du Bon Marché et des magasins du Louvre. Émile Zola a lu dans *Le Figaro* un article sur ces « maisons de tentations » qui l'a passionné. Il se transforme alors en véritable journaliste, enquête, déambule dans les rayons, parle avec les employés et, au bout de quelques semaines, la gestion et le fonctionnement de ces temples de la consommation n'ont plus de secret pour lui. Il commence à écrire le 28 mai 1882, termine huit mois plus tard avec, une fois n'est pas coutume chez lui, un happy end. Denise Baudu, telle la chèvre de Monsieur Seguin, a lutté toute la nuit. Mais elle, a vaincu le loup !

Emile Zola naît le 2 avril 1840 à Paris. Son père meurt en 1847, laissant sa femme et son fils dans une situation précaire. Après son échec au bac, il abandonne ses études et entre chez Hachette comme chef de publicité, puis décide de vivre de sa plume. Journaliste, il se lie d'amitié avec de nombreux peintres et écrivains. Il signe un contrat avec un éditeur en 1869 qui lui assure un salaire mensuel contre un livre par an. C'est le début de la série des Rougon-Macquart, cette « histoire naturelle et sociale d'une famille sous le Second Empire », qu'il terminera vingt-cinq ans plus tard. Il mettra sa célébrité au service de l'affaire Dreyfus avec un texte, *J'accuse… !* en 1898, qui lui vaudra un procès, un exil d'un an, et la perte d'une partie de ses lecteurs. Il meurt le 29 septembre 1902.

Au Bonheur des Dames

1 Denise Baudu arrive à Paris, avec ses deux jeunes frères ; ils sont très pauvres

2 elle devient vendeuse dans un grand magasin

3 on y vend de la dentelle, de la soie, des objets japonais...

4 c'est un monde de vendeuses et de vendeurs, certains dorment sur place dans des chambres minus

5 les vendeuses appellent Denise "la mal coiffée"

6 Octave Mouret, le propriétaire du magasin, est sous le charme de Denise

7 mais il la licencie sous la pression des vendeuses qui la détestent

8 elle vit dans la misère

9 mais heureusement, elle est embauchée dans un magasin de parapluies

10 un jour, elle croise son ancien patron au jardin des Tuileries

11 à partir de là, elle va grimper tous les échelons

12 Denise devient chef du rayon enfant

13 tout en refusant les avances de son boss

14 le magasin ne désemplit pas

15 devant les avances incessantes du boss, elle lui donne sa dem

16 Monsieur Octave finit par la demander en mariage

La Promesse de l'aube de Romain Gary

« Avec l'amour d'une mère,
la vie vous fait à l'aube une promesse qu'elle ne tient jamais. »
Nina croyait en un seul être sur cette terre, son fils.
Cela donne des ailes, mais le défi à relever est aussi très difficile,
comme la vie de Romain Gary le démontrera.
Ce récit autobiographique, il le débute au Mexique,
délaissant les balades culturelles pour s'enfermer dans sa chambre,
tout à son écriture. Il le terminera à Los Angeles, où il est consul de France.
Marié à Lesley Blanch, il vient de rencontrer Jean Seberg,
la jeune et androgyne héroïne du film *À bout de souffle*.
Son livre paraît en 1960 et remporte un triomphe mérité.
La littérature est parsemée de livres sur les mères,
mais celui de Romain Gary est probablement l'un de ceux
qui sonne le plus juste, puisque l'amour y côtoie souvent la haine,
l'amusement, l'agacement, l'admiration, la honte.

Romain Gary naît Roman Kacew à Vilnius, en 1914. Sa mère et lui arrivent à Nice en 1928. Il va mener mille existences en une : étudiant en droit, il rejoint le général de Gaulle en 1940. En 1944, il apprend la mort de sa mère, survenue trois ans plus tôt. Après la guerre, il devient à la fois diplomate et écrivain sous le nouveau nom de Gary. Son premier roman, *Éducation européenne*, paraît en 1945. En 1956, il remporte le prix Goncourt pour *Les Racines du ciel*, et le décrochera une seconde fois, en 1975, grâce à *La Vie devant soi* publié sous le pseudonyme d'Émile Ajar. Mais cela, on ne le découvrira qu'après son suicide, en 1980, un an après celui de son ex-femme, Jean Seberg.

La Promesse de l'aube

1 allongé sur la plage de Big Sur, en Californie, l'auteur se remémore les années avec sa mère

2 il passe son enfance en Pologne, à Wilno

je me prive de tout pour qu'il ne manque de rien

OUAIS

3 elle croit en lui

4 ils sont pauvres et il tombe très souvent malade

5 à Varsovie, elle ouvre une maison de couture

6 ils partent pour Nice, sa mère devient directrice d'un petit hôtel

7 lui, écrit beaucoup mais sans succès

8 mais, il finit par publier un article

9 il est mobilisé en 1938

10 il frôle la mort un nombre incalculable de fois

11 en Afrique

12 il reçoit même l'extrême-onction

13 à la fin de la guerre, il réussit à publier son premier roman

14

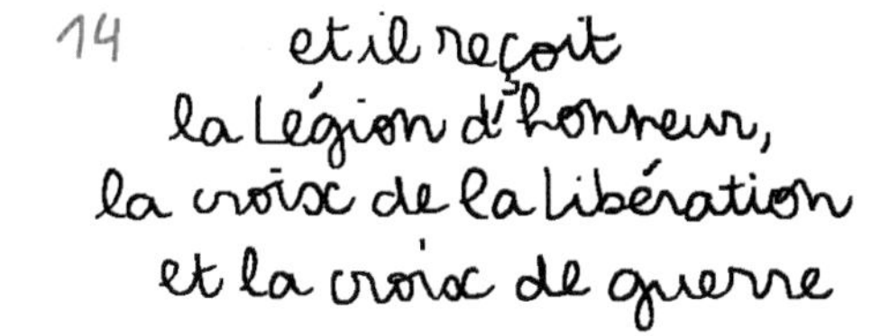

15 méga heureux, il va retrouver sa mère

16 mais sa mère est morte trois ans plus tôt

L'Amant de Marguerite Duras

Lorsque la reconnaissance et la gloire cueillent un auteur à l'aube de ses 70 ans, et que l'écrivain confidentiel se transforme en star des medias, il y a de quoi perdre la tête. Alors oublions les quelques dérives mégalomaniaques de Marguerite Duras et revenons à l'essentiel, ses livres, dont le plus célèbre reste *L'Amant*. Lorsque Bernard Pivot décide de lui consacrer son émission, le 28 septembre 1984, on assiste à l'un de ces instants miraculeux durant lesquels l'invité laisse entrevoir sa personne la plus intime. Le lendemain, les ventes s'emballent, et un mois plus tard elle remporte le prix Goncourt. Il y aura encore le film de Jean-Jacques Annaud, qui apporte une touche de romantisme et beaucoup d'esthétisme à cette idylle intéressée (il fallait sauver la famille de la ruine) avec le riche amant chinois. Et même si elle a eu l'impression que son histoire lui échappait, le livre, lui, est devenu un classique.

Marguerite Donnadieu naît près de Saïgon, le 4 avril 1914. Au début des années trente, elle vient en France pour étudier. Elle épouse l'écrivain Robert Antelme, puis rencontre Dionys Mascolo, avec lequel elle aura un fils, Jean. En 1944, elle entre au parti communiste, dont elle sera exclue en 1950. Elle publie son premier roman en 1943, *Les Impudents*, et le premier d'inspiration autobiographique, *Barrage contre le Pacifique* en 1950. Il y aura d'autres livres, des films, des pièces de théâtre, des idylles et de l'alcool. Au moment de *L'Amant*, elle vit avec Yann Andréa, de trente-huit ans son cadet, et sort d'une cure de désintoxication. Elle va jouir alors d'une célébrité et d'une aisance financière qu'elle n'avait jamais connue. Elle meurt le 3 mars 1996.

L'Amant

1 L'auteure se souvient de sa jeunesse en Indochine

2 elle a 15 ans, elle traverse le Mékong

3 elle remarque un homme chinois, très élégant

4 l'homme lui offre une cigarette

5 il tombe très amoureux d'elle ; elle, au début, n'est attirée que par son argent

6 elle a une famille très pauvre et en plus un de ses frères joue comme un malade

7 ils commencent une histoire d'amour, elle dort chez lui

8 sa mère sait que cet amour ruinera la réputation de sa fille

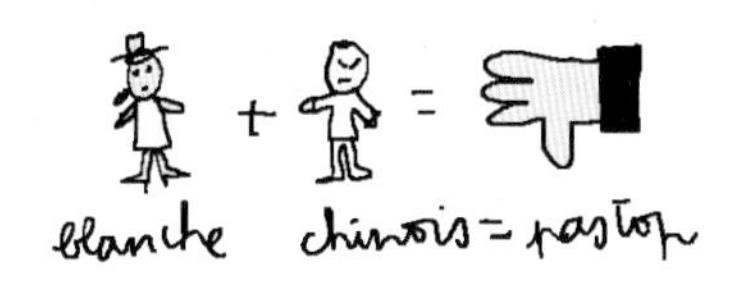

9 chez lui, il la douche, la lave, l'habille

10

11 personne ne fait attention à lui, ils le méprisent

12

13 elle rentre en France

14 l'année suivante, sur les ordres de son père, l'amant épouse une chinoise aussi riche que lui

15 des années plus tard, elle est à Paris et est devenue écrivaine

16 je vous aimerai jusqu'à ma mort

Les Hauts de Hurlevent
d'Emily Brontë

Emily Brontë vit en quasi-recluse, n'a jamais connu l'amour,
et les seules informations qui lui parviennent de l'extérieur
sont les ragots de son petit village. Quand il n'y a rien à faire, que faire?
Lire d'abord, dévorer même. Et écrire.
Mais au milieu du XIXe siècle, il est difficile pour une femme de percer.
Les Hauts de Hurlevent, son premier et unique roman, est édité en 1847
à compte d'auteur, sous le pseudonyme d'Ellis Bell.
Contrairement au *Jane Eyre* de sa sœur Charlotte qui sort la même année
et trouve immédiatement son public, l'histoire d'Emily, à la fois très sombre
et passionnée, déconcerte les lecteurs. Un critique américain peu perspicace
a écrit qu'il s'agissait d'un récit ténébreux raconté de façon ténébreuse!
Ce livre a certes mis du temps à conquérir sa place,
mais il n'a cessé, au fil des décennies, d'inspirer des films, des opéras,
des chansons. Et reste aujourd'hui l'un des ouvrages les plus lus
et les plus commentés.

Emily Brontë naît le 30 juillet 1818 à Haworth, dans le Yorkshire. Son père pasteur, devenu veuf, envoie ses filles en pensionnat. Mais les conditions sont si insalubres que ses deux aînées, Maria et Elizabeth, meurent de tuberculose en 1825, et il rapatrie Charlotte et Emily. Celles-ci, en compagnie de leur frère Branwell et de leur sœur Anne, se créent un monde imaginaire de contes et de poèmes. Toutes trois aspirent à l'indépendance et décident d'écrire un roman, espérant ainsi gagner un peu d'argent. Pendant ce temps, Branwell sombre dans l'alcool et meurt de tuberculose. Emily, malade elle aussi, le suivra de quelques mois, le 19 décembre 1848.

Les Hauts de Hurlevent

1 au retour d'un voyage, le père de famille revient avec un enfant abandonné

2 Heathcliff est adoré par le père et sa fille Cathy, mais détesté par le frère, Hindley, qui est très jaloux

3 le père meurt et le frère jaloux se venge en traitant Heathcliff comme un domestique

4 Heathcliff supporte tout par amour pour Cathy et leurs promenades dans la lande

5 un jour, en passant près d'une maison voisine, Cathy est blessée par un chien

6 les voisins gardent Cathy pour la soigner mais chassent Heathcliff

7 Cathy revient chez elle après 5 semaines, transformée. Heathcliff comprend qu'il la perd

8 elle se marie avec le voisin, Edgar Linton

9 Heathcliff, brisé, s'enfuit

10 le frère jaloux s'est marié, est devenu père, veuf et alcoolique

11 Heathcliff revient 3 ans après, très riche et séduisant. Il rachète la propriété au frère

12 pour se venger de Cathy, il épouse la sœur de son mari Edgar, Isabella

13 mais il ne l'aime pas, Isabella s'enfuit loin avec leur fils et meurt. Cathy, elle, meurt de ne pas être restée avec Heathcliff

14 tous les adultes sont morts sauf Heathcliff qui vit avec les 3 enfants qu'il tyrannise

15 Heathcliff se laisse mourir pour rejoindre Cathy

16 la fille de Cathy se marie avec le fils d'Heathcliff, mais il meurt, alors elle se rapproche du fils du frère jaloux, son cousin

Le Père Goriot
d'Honoré de Balzac

Le pitch du *Père Goriot*,
Balzac l'avait imaginé bien avant de l'écrire.
Ce qu'il fit en quelques mois ou quelques jours, les versions divergent,
pour payer une dette. Le roman paraîtra en quatre fois,
dans la *Revue de Paris*, entre fin 1842 et début 1843.
Ce livre raconte en réalité deux histoires :
l'amour désespéré d'un vieil homme pour ses filles bien peu reconnaissantes,
une tragédie inspirée d'un fait divers glané auprès d'un notaire ;
et la montée de l'ambition d'un jeune provincial, Eugène de Rastignac.
À peine paru, c'est un succès. Tant mieux.
Mais cela donne surtout à Balzac l'idée de construire une série avant l'heure,
une comédie humaine mettant en scène des personnages récurrents
dont on suivra l'évolution saison après saison, volume après volume.
L'idée est géniale, le résultat aussi.

Honoré de Balzac naît à Tours le 18 août 1799. Il suit des études de droit, mais très vite sait qu'il veut écrire. Il publie *Les Chouans* en 1825, se fait remarquer, et confirme cette reconnaissance critique et publique (essentiellement féminine) avec *La Peau de chagrin* en 1831. Il gagne de l'argent, le dépense, et sa folie des grandeurs le pousse à travailler énormément, surtout la nuit. En 1833, il rencontre une comtesse polonaise, Mme Hanska, qui restera, malgré quelques petites incartades, la femme de sa vie. Il continue à écrire sans relâche, bâtit sa comédie humaine avec 95 romans en moins de vingt ans, de 1829 à 1848. À 51 ans, il meurt épuisé et fraîchement marié à sa comtesse… sans avoir eu le temps de venir à bout des 48 autres histoires qui lui trottaient dans la tête.

Le Père Goriot

1 le père Goriot se retrouve veuf

2 il pourrit ses deux filles, les adule et les marie

3 il leur a donné une grosse dot, mais ses gendres le détestent et ses filles ont honte de lui

4 malgré la fortune de leur mari, les deux filles viennent demander de l'argent à leur père

5 le père Goriot n'a plus un sou, il habite dans une misérable chambre

6 il est le souffre-douleur de sa logeuse, madame Vauquer

7 mais il y a deux pensionnaires sympathiques : Rastignac

8 et Vautrin, un ancien bagnard évadé

9 Rastignac fait la connaissance de Delphine

10 il est très attaché au père Goriot

elles ne viennent pas vous voir souvent, vos filles

11 alors que leur père se meurt, Anastasie et Delphine vont danser

12 Rastignac les fait prévenir que leur père est en train de mourir

13 elles n'y vont pas et le père Goriot meurt

14 elles envoient leur voiture suivre le corbillard

mais quelles s.....

15 elles ne donnent rien pour la cérémonie

16 Rastignac est dégoûté mais reste ambitieux

Chéri
de Colette

Il arrive que la vie soit plus inventive que la fiction.
L'histoire de *Chéri*, l'amour entre une femme d'âge mûr et un jeune homme, Colette l'a d'abord rêvée et écrite avant de la vivre pour de vrai. En 1912, elle imagine donc un garçon amoureux d'une amie de sa mère. Elle se lance d'abord dans l'écriture d'un conte, puis d'une pièce de théâtre (il lui arrivera d'interpréter elle-même Léa sur scène), et enfin d'un roman, en 1919. Au moment de cette parution, Bertrand, le fils aîné de son mari Henry de Jouvenel, a 16 ans, Colette, 46. En toute innocence, elle lui en dédicace un exemplaire, « à mon fils CHÉRI », alors qu'elle le connaît à peine. Au cours de l'été 1920, le garçon rejoint Colette en Bretagne. Elle lui apprend à nager… et beaucoup d'autres choses. Leur aventure amoureuse durera jusqu'en 1925, année où Bertrand épouse la jeune fille que l'on a choisie pour lui. Exactement comme dans le livre. De son côté, Colette, écrira *Le Blé en herbe*, récit très autobiographique.

Gabrielle Sidonie Colette naît le 28 janvier 1873 à Saint-Sauveur-en-Puisaye. En 1893, elle épouse l'écrivain Henry Gauthier-Villars, dit Willy. En 1895, il l'encourage à écrire ses souvenirs d'école… qu'il signe de son seul nom : ce sera la série des *Claudine*. Les années suivantes débordent d'activités : elle publie des livres, sous son nom cette fois, joue nue au music-hall, ouvre (et ferme très vite) un institut de beauté, aime des hommes mais aussi des femmes. En 1912, elle se remarie avec Henry de Jouvenel. En 1925, l'année où elle se sépare de son jeune amant Bertrand de Jouvenel, elle rencontre Maurice Goudeket qui sera son dernier mari. En 1945, elle entre à l'Académie Goncourt. Elle meurt, célèbre et reconnue, le 3 août 1954, et a droit à des obsèques nationales.

Chéri

1 Léa est une ancienne cocotte, elle a 50 ans

2 son amie, Charlotte Peloux a un fils, Félix, qu'elle gâte beaucoup trop

3 Léa le connaît depuis toujours, elle l'a vu grandir

4 mais maintenant, c'est un adulte, grand et beau. Léa et Chéri se rapprochent

5 un jour Chéri se mariera avec une jeunette

6 lui, vit une vie d'enfant gâté, il ne fait rien, il s'amuse

7 Chéri va bientôt se marier, il emmène Léa pour un dernier voyage ensemble

8 Chéri se marie avec Edmée, la fille d'une ancienne cocotte

9 Léa joue l'indifférente

ça m'est totalement égal

je savais que ça finirait ainsi

j'étais méga préparée

10 et préfère disparaître après le mariage

11 Chéri s'ennuie dans son mariage, sa femme est jalouse, ça l'agace

12 après plusieurs mois de voyage, Léa rentre chez elle

13 Chéri débarque à l'improviste chez Léa, il est rassuré qu'elle ne l'ait pas remplacé

14

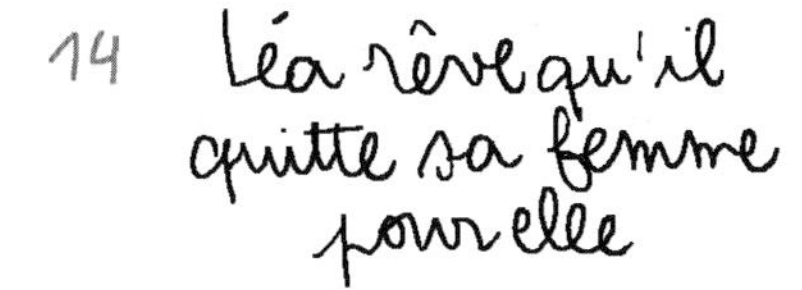

15 Chéri trouve tout à coup Léa vieille, il s'est habitué à la jeunesse d'Edmée

16 quand il part, Léa sait que leur histoire est finie

À la recherche du temps perdu
de Marcel Proust

Vous cherchez désespérément un éditeur pour votre roman ?
Ne perdez pas espoir. Proust lui-même s'est vu refuser
le premier volume de *La Recherche* par André Gide
qui trouvait cette histoire de comtesses sans intérêt.
À vrai dire, on n'a jamais su si Gide avait été rebuté par une forme
de « name dropping » mondain ou s'il n'avait même pas ouvert le manuscrit.
Proust trouve alors refuge chez Grasset… mais à compte d'auteur.
En 1913, *Du côté de chez Swann* sort dans une belle indifférence.
Le milieu littéraire commence cependant à se réveiller,
Gide fait son mea-culpa et lorsqu'en 1919 le deuxième volume s'apprête
à paraître chez Grasset toujours, Gaston Gallimard convainc Proust
de rejoindre sa maison. Au fil des années, ce texte n'a cessé d'être remis
sur le chantier. Les multiples versions et les « paperolles »,
ces petits papiers annotés collés au bord des pages, en témoignent.
Marcel Proust mourra avant la parution des deux derniers tomes et sans savoir
qu'il sera considéré comme l'un des plus grands écrivains du XXe siècle.

Marcel Proust naît le 10 juillet 1871 à Paris, dans le quartier d'Auteuil, d'un père catholique, médecin, et d'une mère juive. À 9 ans, il fait une première crise d'asthme, maladie qui l'handicapera toute sa vie. Malgré ses fréquentes absences, il obtient son bac de philosophie en 1889 et commence mollement des études de droit. Il préfère écrire des articles pour *Le Figaro*, débuter un roman, *Jean Santeuil* (qui paraîtra, inachevé, en 1952) et attaquer *À la recherche du temps perdu*, qui sera publié entre 1912 et 1927. Il remporte le prix Goncourt pour *À l'ombre des jeunes filles en fleurs* en 1919. Il meurt le 18 novembre 1922.

Du côté de chez Swann

1 en mangeant une madeleine trempée dans son thé, le narrateur, Marcel, a un flash

2 il se rappelle ses vacances passées à Combray quand il était petit

3 où il se promenait soit du côté de chez Swann soit du côté de Guermantes

4 le soir, il attendait que sa mère, qui dînait avec ses invités, monte l'embrasser

5 un des invités, est Charles Swann, un homme riche et puissant

je connais le président et le prince de Galles

6 Swann adore les femmes et il en change souvent

7 il rencontre au théâtre une demi-mondaine, Odette de Crécy

8 elle tombe amoureuse de Swann

Ce Swann, quelle aubaine, money, money !

9 Swann lui fait des cadeaux, lui rembourse ses dettes

10 ils se voient beaucoup chez madame Verdurin, une snob stupide qui reçoit des gens médiocres

11 Swann finit par devenir accro à Odette

12 plus il est amoureux plus Odette se détache

13 il l'espionne, persuadé qu'elle le trompe, et il a raison

14 elle part même en vacances sans lui

15 Swann est furieux contre lui-même

16 tout ce temps qu'il a perdu à aimer la mauvaise personne

À l'ombre des jeunes filles en fleurs

1 Swann et Odette se réconcilient, ils ont une fille

2 Marcel a croisé Gilberte, à Combray, quand il était petit et qu'il se promenait du côté de chez Swann

3 il la recroise quelques années plus tard, sur les Champs-Élysées

4 elle l'invite à goûter chez elle, il est fou de joie, totalement fasciné

5 ils se voient tous les jours

6 elle finit par le trouver très collant et le repousse

7 Marcel s'installe pour l'été avec sa grand-mère au Grand Hôtel de Balbec

8 sa grand-mère y retrouve une de ses amies, la marquise de Villeparisis

9 Robert et Marcel deviennent de très bons amis

10 mais ce qui intéresse vraiment Marcel, c'est un groupe de jeunes filles

11 par chance, un jour qu'il rend visite à un peintre, une des jeunes filles débarque en tenue de cycliste

12 ils deviennent amis et elle lui présente ses copines

13 avec Albertine, ils ne se quittent plus

14 pensant que leur histoire est sérieuse, Marcel se lance

Hé !

15 elle le repousse

je suis très déçu, je la croyais méga open

16 ils se voient moins, et de toute façon, c'est la fin de l'été...

Le Côté de Guermantes

1 Marcel et sa famille louent à la famille Guermantes une partie de leur hôtel particulier

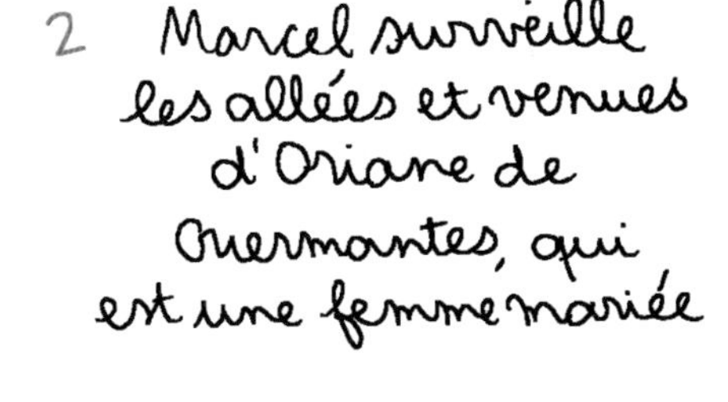

2 Marcel surveille les allées et venues d'Oriane de Guermantes, qui est une femme mariée

3 tous les jours, il fait en sorte de la croiser "par hasard"

4 la mère de Marcel, qui a eu vent de ce petit manège, conseille à son fils de se calmer

5 du jour au lendemain, il arrête de la suivre

6 mais il n'abandonne pas pour autant... Il va voir son ami Robert de Saint-Loup qui se trouve en garnison

7 lors d'une permission, Robert lui présente sa maîtresse, Rachel

8 Rachel est une ancienne prostituée qui travaillait dans une maison de passe

9 Robert, lui, ne la connaît que comme comédienne : tout Paris se moque de lui

10 enfin Robert invite Marcel chez sa cousine Oriane qui fait salon

11 comme c'est Robert qui le présente, il n'est plus le locataire collant

12 le fait d'échanger quelques mots avec Oriane calme sa fixette

13 Marcel y croise le Baron de Charlus

14

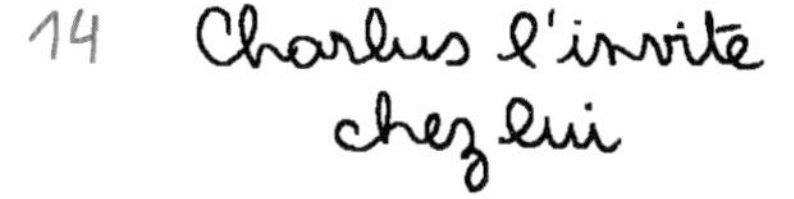

15 Marcel n'en revient pas d'être si mal reçu. Il pique une crise

16 Charlus finit par s'excuser

Sodome et Gomorrhe

1 alors qu'il est à sa fenêtre, Marcel voit Charlus rentrer dans la cour

2 pour être bien sûr de ce qu'il a vu, il les suit à l'intérieur de l'appartement

3 il revoit Charlus lors d'une soirée chez les Guermantes, où Charlus affiche ouvertement sa sexualité

4 Marcel remarque qu'une grande partie des hommes présents sont homos

5 Odette Swann, qu'il pensait méga plouc, tient le salon le plus hype et intello

6 l'été revient et pour les vacances, il retourne à Balbec, mais sans sa grand-mère qui est morte

7 comme par enchantement, elle apparaît partout

8 c'est avec l'arrivée d'Albertine et ses copines qu'il sort de sa mélancolie

9 mais le soir, au bal du casino, il voit Albertine danser avec une fille, Andrée

10 Ça lui est insupportable et il est si jaloux qu'il devient odieux avec Albertine

11 Charlus arrive aussi à Balbec avec une nouvelle conquête, encore un gigolo

12 ils partent tous en train dans le village voisin, à une fête chez les Verdurin

13 c'est la fin de l'été, Marcel est chamboulé par les sentiments qu'il a pour Albertine

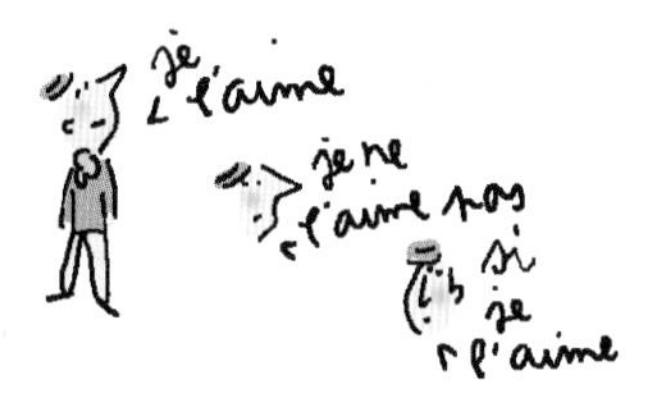

14 il se souvient de son comportement l'été dernier

15 ils se parlent beaucoup, Albertine n'assume pas du tout son homosexualité

tu te sers de moi, je suis ton alibi, ta couverture
tu divagues, je ne suis pas lesbienne

16 et contre toute attente, Marcel va voir sa mère

La Prisonnière

1 Marcel rentre à Paris préoccupé par sa relation avec Albertine

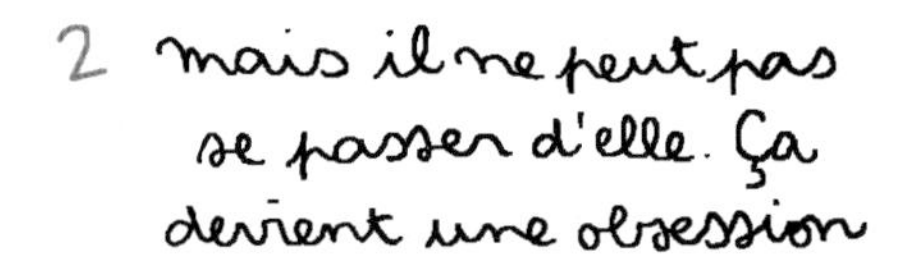

2 mais il ne peut pas se passer d'elle. Ça devient une obsession

je suis possédé, je la veux à moi tout seul !

3 comme ses parents sont absents, il propose à Albertine de venir loger chez lui

en tout bien tout honneur

4 comme ça, il n'est pas tout seul

mais surtout je sais ce qu'elle fait

5 et il se dit que s'il l'épousait, il pourrait encore plus la surveiller

6 et afin d'être certain que rien ne lui échappe, il lui colle un garde du corps

7 il va même jusqu'à la faire chercher en plein milieu d'une pièce de théâtre

8 pour qu'elle supporte sa jalousie maladive, il la couvre de cadeaux

9 et afin d'être sûr qu'elle les apprécie, il demande conseil à Oriane

10 Albertine supporte cette mainmise car elle aime être gâtée

parce que je suis nourrie, logée et habillée (très joliment)

11 mais malgré tout cet espionnage, la jalousie de Marcel ne cesse de croître

12 il décide de l'empêcher de sortir

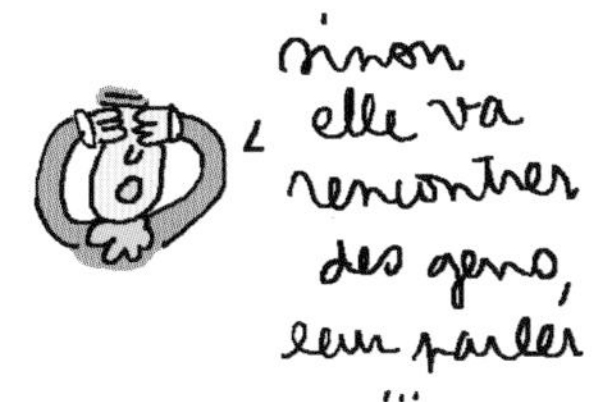

13 en revanche, lui se permet de sortir

14 chez les Verdurin, il assiste à la déchéance de Charlus

15 Marcel rêve de partir à Venise mais il ne peut pas car il doit avoir à l'oeil Albertine

16 Albertine n'en peut plus d'être cloîtrée, épiée et étouffée, elle décide de partir

Albertine disparue

1 alors que Marcel n'en pouvait plus de la relation qu'il avait avec Albertine, il est dévasté

2 pour essayer de la faire revenir, il lui promet de somptueux cadeaux

3 il envoie son ami Saint-Loup chez la tante d'Albertine

4 il lui écrit des lettres où il lui dit qu'il ne veut plus JAMAIS la revoir

5 il reçoit un télégramme de la tante d'Albertine

6 et au même moment, une lettre d'Albertine

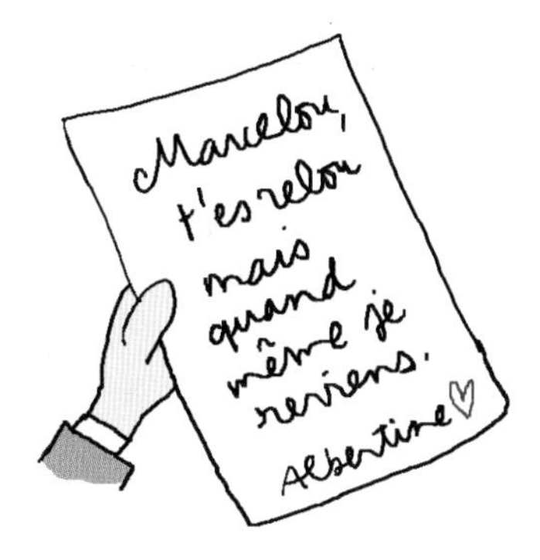

7 Marcel est en deuil, brisé par la tristesse

8 mais il doute toujours de l'homosexualité d'Albertine

9 il décide de mener une enquête

10 il finit par oublier Albertine. Au bois de Boulogne, il rencontre une jeune fille

11 Marcel se présente

12 elle a pris le nom de son beau-père, Forcheville, car il y a beaucoup d'antisémitisme

13 alors que Marcel est à Venise, il apprend que son ami Saint-Loup se marie

14 Marcel comprend que Robert de Saint-Loup, fauché, fait un mariage d'argent

15 Gilberte trouve une lettre d'une certaine Bobette

16 Marcel sait que Bobette n'est pas une femme

Le Temps retrouvé

1 Gilberte, trompée par son époux, essaie de le reconquérir

2 en lisant le journal des frères Goncourt, Marcel se dit qu'il ne sera jamais écrivain

3 c'est la guerre, mais chez les Verdurin on ne la fait pas

4 malgré les restrictions, madame Verdurin se fait livrer des croissants

5 Saint-Loup meurt au combat

6 Marcel a une santé très fragile

je dois quitter la ville pour la campagne

7 quand il revient à Paris, la guerre est finie

8 chez les Guermantes, il trouve que tout le monde est vieux

9 surtout Charlus, qui, malgré une attaque, reste libidineux

10 Marcel, en trébuchant sur des pavés, se souvient de doux moments de son enfance

11 comme avec la madeleine trempée dans du thé

12 comme avec la vue d'un clocher

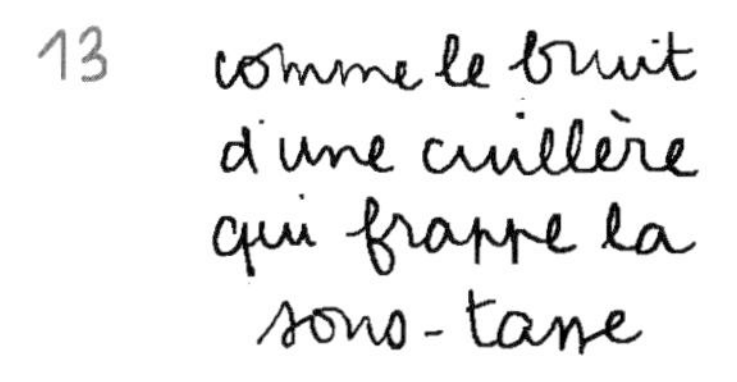

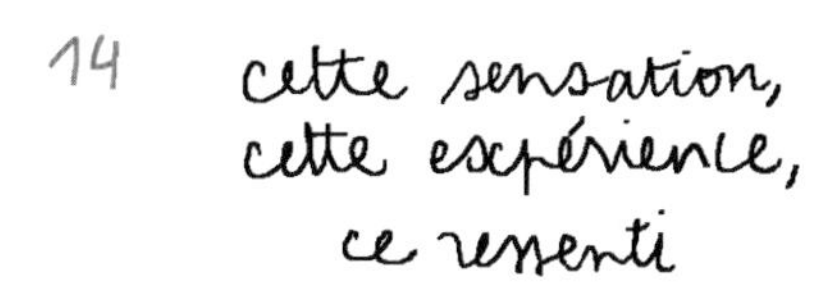

15 le temps perdu
et le temps retrouvé
par le souvenir

16 il se retire à
la campagne
pour écrire

La Ferme africaine de Karen Blixen

Si vous avez pleuré devant *Out of Africa*,
la version hollywoodienne et romancée de *La Ferme africaine*,
vous attendrez vainement cette scène où Denys Finch Hatton
lave les cheveux de Karen Blixen avec en toile de fond
des gazelles galopant au rythme des trompettes de Mozart…
Oublions donc Robert Redford et Meryl Streep,
car Karen raconte bien davantage sa passion pour l'Afrique
que son histoire d'amour pour un homme. Denys Finch Hatton n'apparaît
finalement que comme un personnage secondaire,
ce qui est toujours mieux que le sort du mari : inexistant !
De retour au Danemark en 1931, à Rungstedlund
(sa ferme danoise à vingt kilomètres de Copenhague
qu'il faut absolument visiter si vous passez par là),
elle ressuscite ses quinze années africaines comme si elle avait laissé
son cœur là-bas. Un succès immédiat qui fera d'elle une personnalité
des lettres danoises vénérée et reconnue dans le monde entier.

Karen Dinesen naît le 17 avril 1885 dans une riche famille danoise. En 1909, elle tombe follement amoureuse de son cousin Hans Blixen-Finecke qui, lui, ne l'aime pas. Quatre ans plus tard elle épouse le jumeau de celui-ci, Bror, avec lequel elle embarque pour l'Afrique. Cette union qui débute sous de mauvais auspices (peu d'amour et une syphilis comme cadeau de mariage) se terminera sans surprise par un divorce en 1925. En 1931, année fatale, Karen perd à la fois Denys Finch Hatton, son amant, qui se tue en avion, et sa ferme qui fait faillite. Elle rentre chez elle, au Danemark, où elle devient écrivain. Elle meurt en 1962.

La Ferme africaine

1 la baronne Karen Von Blixen-Finecke se souvient de ses années passées au Kenya

2 elle et son mari y ont acheté une ferme

3 elle fréquente des expats à Nairobi

4 mais aussi des Somalis, grâce à son serviteur Farah Aden

5 elle soigne des indigènes

6 c'est comme ça qu'elle rencontre Kamente

7 c'est un excellent cuisinier et la table des Blixen devient célèbre

8 elle reçoit de nombreux visiteurs et surtout Denys Finch Hatton

9 Denys partage avec elle ses endroits prefs

10

11 le mari n'est jamais là, toujours en train de faire la fête

12 la ferme étant en altitude rien ne pousse

13 Karen va donc retourner au Danemark

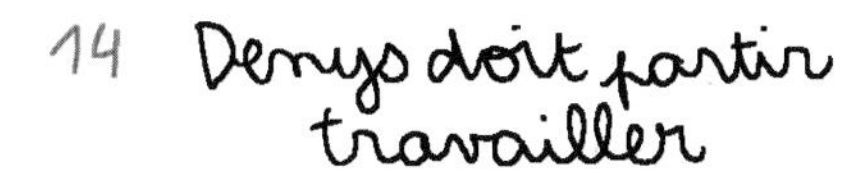

15 malheureusement, il se crashe

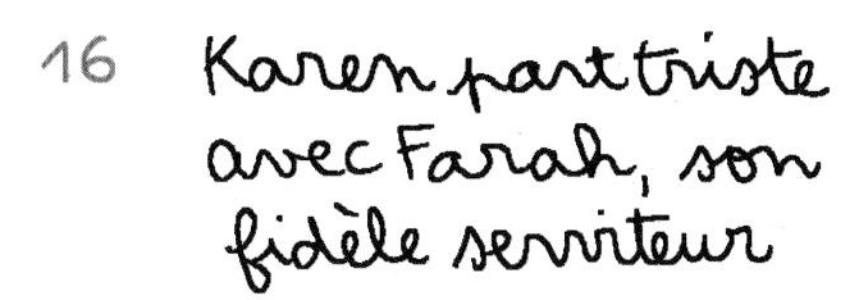

Gatsby le magnifique
de F. Scott Fitzgerald

Le nom de Fitzgerald évoque les années folles, des gens élégants, raffinés, et bien sûr aussi riches que célèbres. Pourtant, la renommée de l'écrivain aujourd'hui nous fait oublier que sa gloire de l'époque retomba comme un soufflé. Lorsqu'il commence à écrire ce troisième roman, *Gatsby le magnifique*, ses deux livres précédents ont bien marché et il est devenu un auteur à succès, l'écrivain à la mode, le type qu'il faut avoir à sa table en compagnie de sa femme, Zelda. Pour camper le décor de ce nouveau récit, il s'inspire de sa génération, qui rêve d'une vie de fêtes et de bulles. Daisy, l'amoureuse de Gatsby, laisse quant à elle entrevoir la même fragilité que Zelda. C'est en France, enfermé dans la villa Marie, à Valescure, qu'il écrit ce qui devrait, pense-t-il, lui apporter la fortune. Ce sera un flop, qui fera trois petits tours et puis s'en va en librairie. Il faudra attendre les années cinquante, bien après la mort de Fitzgerald, pour que le livre soit redécouvert, aimé, encensé, et même étudié à l'école.

Francis Scott Fitzgerald naît le 24 septembre 1896. Après des études à Princeton, il décide, en 1916, de se consacrer à l'écriture. Mais les débuts sont ardus : ne manquant pas d'humour, il tapisse sa chambre avec les 122 lettres de refus des éditeurs. Ils ont dû s'en mordre les doigts lorsqu'a paru, quatre ans plus tard, son premier roman, *L'Envers du paradis*, un succès. La même année, il épouse Zelda, avec laquelle il aura une fille. Au fil de sa brève existence, il écrira plus de 150 nouvelles et 5 romans dont un inachevé, *Le Dernier Nabab*. Il a besoin d'argent pour payer les soins médicaux de Zelda, qui souffre de dépression. Mais peu à peu son étoile se ternit, il sombre dans l'alcool et même Hollywood ne veut plus de lui comme scénariste. Il meurt le 21 décembre 1940.

Gatsby le magnifique

1 l'histoire est racontée par Nick Carraway

2 voisin de Gatsby

3 Gatsby a 30 ans et fait des fêtes incroyables

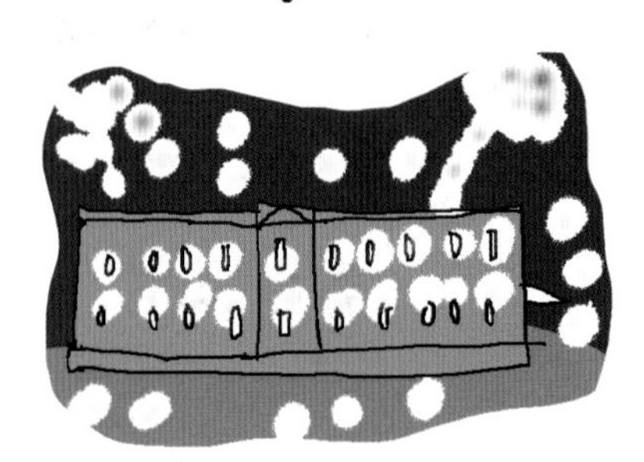

4 Nick est invité chez Daisy

5 elle est mariée à Tom qui la trompe avec Myrtle

6 Gatsby invite Nick à une de ses fêtes

7 il lui parle de Daisy "on s'aimait mais j'étais pauvre alors je suis parti"...

8 Daisy en a marre de l'attendre, elle se marie

9 Nick organise le thé et Daisy et Gatsby retombent amoureux

10 ils vont tous à New York. Tom et Gatsby se disputent

11 Gatsby rentre à Long Island avec Daisy

12 Daisy écrase une femme qui se jette sous les roues

13 cette femme c'est Myrtle, la maîtresse de Tom

14 

Tom dit au mari de Myrtle que c'est Gatsby qui conduisait

15 le mari de Myrtle tue Gatsby

16 seuls le père de Gatsby et le voisin Nick assistent à l'enterrement

Madame Bovary
de Gustave Flaubert

Ce roman est né d'une conversation entre Flaubert et ses amis Louis Bouilhet et Maxime Du Camp : « Prends un sujet terre-à-terre et astreins-toi à le traiter sur un ton naturel, presque familier, en rejetant les divagations… », lui conseillent-ils. Il s'inspire d'un fait divers authentique, l'affaire Delaunay, l'enrichit de sentiments personnels et de ses disputes avec sa maîtresse Louise Colet (Madame Bovary, c'est lui). Il travaille son texte pendant cinq ans, griffonne un brouillon de 1788 feuillets, fait passer à sa prose l'épreuve du « gueuloir » (les phrases mal écrites ne résistent pas à la lecture à voix haute) avant de mettre un point final en 1856 à ce premier roman dont la parution fait scandale. On lui intente un procès pour outrage à la morale. Il en sort acquitté avec une belle publicité en prime, et ne sait pas encore que cette pauvre Emma Bovary et son encore plus pauvre mari Charles, formeront un couple mythique malgré eux, celui auquel personne ne souhaite ressembler !

Gustave Flaubert naît le 12 décembre 1821 à Rouen. Il grandit dans une famille unie, avec un père médecin. À 10 ans, il commence à écrire et se montre très prolifique. Il suit des études de droit, qu'il interrompt pour cause d'attaque nerveuse, ce qui lui laisse tout loisir de voyager. C'est d'ailleurs face au Nil qu'il trouve le nom de Bovary. À son retour (le périple a duré deux ans tout de même), il renoue avec sa maîtresse, Louise Colet, et se remet à l'écriture. Après la parution de *Madame Bovary*, il commence *Salammbô* (publié en 1862), termine *L'Éducation sentimentale* (1869), *Trois contes* (1877), et s'attaque enfin à *Bouvard et Pécuchet* qui paraîtra en 1881, œuvre posthume, puisque Flaubert est mort d'une attaque l'année précédente.

Madame Bovary

1 Emma vit dans une ferme avec son père malade

2 elle se marie avec le médecin qui vient soigner son père

3 elle n'aime pas son mari, elle n'aime pas sa fille

4 elle tue le temps avec un clerc de notaire, Léon Dupuis

5 c'est Rodolphe, qui enchaîne les conquêtes, qui va la sortir de sa morosité

6 elle commence à s'endetter

des nouvelles robes
des rideaux
des cadeaux pour mon Roro

7 elle rêve d'une nouvelle vie

8 Rodolphe lui envoie, le lendemain, une lettre de rupture

9 en plus d'être triste, elle retrouve sa vie qui l'ennuie tant

10 elle retombe sur Léon, le notaire, ils ont une liaison

11 mais lui aussi la quitte

12 elle s'est tellement endettée qu'un huissier vient chez elle

13 en panique, elle va voir Rodolphe pour qu'il l'aide

14 désespérée, elle se suicide

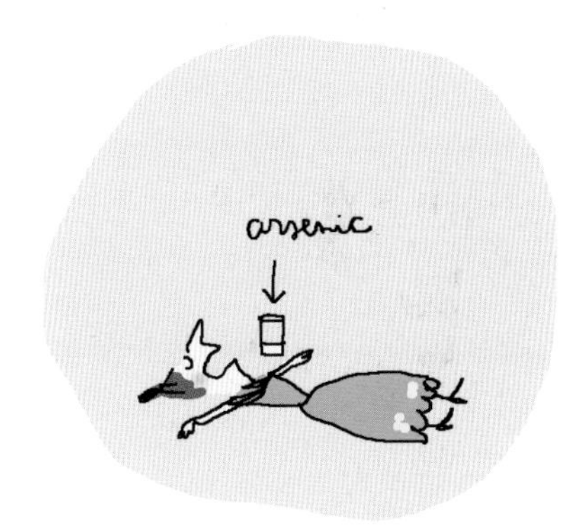

15 son mari pleure sa femme et découvre les lettres de Rodolphe

16 Charles Bovary meurt de chagrin

Les Malheurs de Sophie
de la comtesse de Ségur

La comtesse de Ségur a bercé des dizaines de générations de jeunes lecteurs et de futurs écrivains, leur promettant de délicieuses heures de vagabondage à la découverte d'un monde pas toujours enchanté (les châtiments corporels pleuvent), certainement pas égalitaire (la comtesse a un sens des classes très prononcé), mais dépaysant sans aucun doute. Après avoir écrit quelques contes de fées, elle se lance dans une trilogie. Le premier tome, *Les Petites Filles modèles*, est destiné à ses propres petites-filles, Camille et Madeleine. Elle poursuit avec ce préquel, *Les Malheurs de Sophie*, 22 courts textes et autant de bêtises dédiées à sa petite-fille Élisabeth Fresneau et fortement inspirés de son enfance russe (l'héroïne porte d'ailleurs le même prénom qu'elle), avant de clore le chapitre avec *Les Vacances*. D'abord destinés à être lus au coin du feu, en famille, ces récits sortent vite du domaine privé pour être publiés par Hachette avec un succès immédiat et jamais démenti.

Sophie Rostopchine naît le 19 juillet 1799 à Saint-Pétersbourg. Elle grandit à Voronovo, sorte de domaine enchanté qu'elle ressuscitera dans ses livres. En 1812, son père, le comte Rostopchine, est nommé gouverneur de Moscou par le tsar Alexandre Ier. Il fait mettre le feu à la ville pour qu'elle ne tombe pas dans les mains de Napoléon. Deux ans plus tard, on lui reproche cet acte radical et la famille s'exile en France. En 1819, Sophie épouse Eugène de Ségur. Ensemble, ils ont 8 enfants, et partagent leur vie entre Paris et le château des Nouettes, en Normandie. C'est là-bas qu'elle se découvre une vocation d'écrivain. Elle a 59 ans lorsqu'elle imagine *Les Malheurs de Sophie*. Elle publiera 18 romans et d'autres histoires, jusqu'à ses 70 ans. Elle meurt en 1874.

Les Malheurs de Sophie

1 le père de Sophie lui offre une poupée de cire

2 Sophie invite son cousin Paul et ses amies à venir la voir

3 Sophie la met au soleil pour qu'elle ait meilleure mine

4 Sophie la lave dans l'eau chaude BÊTISE

5 Sophie reçoit un couteau en écaille

je coupe les pommes, le pain, les biscuits

6 Sophie coupe les poissons de l'aquarium

7 sa mère est effondrée et pense la domestique responsable

8 mais Sophie avoue

9 Sophie rêve d'avoir des cheveux frisés

10 Sophie se met sous la pluie

11 Sophie devient moche

12 Sophie est punie

13 Sophie va au bois avec sa maman et son cousin Paul

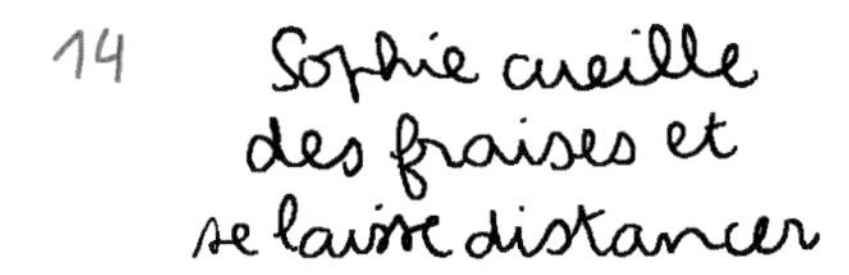
14 Sophie cueille des fraises et se laisse distancer

15 Sophie se fait croquer la robe par le loup

16 heureusement, les chiens chassent le loup

Le vieil homme et la mer d'Ernest Hemingway

Il y a d'abord la légende.
Un homme qui brûle la chandelle par les deux bouts, très gros buveur, serial husband, chasseur, guerrier. Hemingway est le héros d'une vie qui ressemble à un roman. Mais s'il se montre excessif dans le quotidien, il affiche en revanche une parfaite sobriété dans son écriture, sa marque de fabrique. L'histoire de ce vieux pêcheur qui va au bout de ses forces pour rapporter un énorme marlin est-elle inspirée d'une anecdote authentique ? Les avis divergent, et finalement peu importe. Lorsqu'il écrit ce texte, « Papa » (c'est son surnom) vit à Cuba avec sa troisième femme, Martha Gellhorn. Il n'a plus rien produit de bon depuis un moment. Cet ouvrage, paru en 1952, va relancer sa carrière : il remporte le prix Pulitzer et devient lauréat du prix Nobel en 1954. *Le vieil homme et la mer* sera aussi le dernier livre publié de son vivant.

Ernest Hemingway naît le 21 juillet 1899. Durant la Première Guerre mondiale, il est ambulancier en Italie, et s'inspirera de cette expérience pour *L'Adieu aux armes* (1929). À son retour, il se marie avec son amie d'enfance, Hadley Richardson. Nommé correspondant en Europe pour un journal de Toronto, il vit à Paris avec sa femme et son fils. Après avoir perdu (à tout jamais) une valise pleine de manuscrits dans un train, il connaît un légitime moment de découragement, puis se remet à l'écriture. C'est avec *Le soleil se lève aussi* (1926) qu'il se fait remarquer. En 1927, il convole avec sa deuxième femme, Pauline Pfeiffer. Ils resteront mariés jusqu'à ce qu'il rencontre, en Espagne, Martha Gellhorn, journaliste comme lui, et à qui il dédie *Pour qui sonne le glas*. En 1946, il rencontre sa quatrième et dernière épouse, Mary Welsh. Il se suicide d'un coup de fusil le 2 juillet 1961.

Le vieil homme et la mer

1 à Cuba, un vieux pêcheur n'a rien attrapé depuis 84 jours

2 tous les pêcheurs se moquent de lui

3 les parents de Manolin, le garçon qui l'accompagne, ne veulent pas qu'il aille avec lui

4 mais il lui apporte deux sardines

5 il part en mer car il ne perd pas espoir

6 devant lui, un oiseau plonge dans l'eau

7 un poisson mord sa ligne

8 il sent que c'est un poisson énorme

9 le poisson le balade pendant trois jours

10
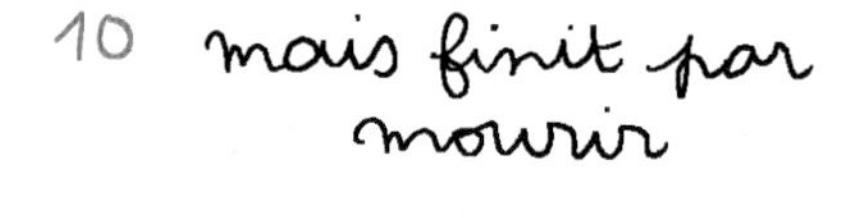

11 il est tellement gros, que le vieil homme n'arrive pas à le rentrer dans son bateau

12 il est obligé de l'attacher sur le côté de la coque

13 les requins viennent manger le poisson

14 quand le vieil homme rentre au port, son poisson est croqué, partout

15 les pêcheurs sont très impressionnés

16 le vieil homme promet à Manolin de l'emmener la prochaine fois

La Métamorphose de Franz Kafka

Ce matin-là, Franz Kafka se sent profondément déprimé.
Son père l'exaspère, il déteste son boulot dans une compagnie d'assurances,
ses livres marchent moyennement, et pour couronner le tout,
il se sent en panne d'inspiration. Voilà une belle journée qui s'annonce !
Pas étonnant, dès lors, que de drôles d'idées lui traversent l'esprit
quand arrive l'heure de se lever. Il imagine « l'histoire répugnante »
(selon ses propres termes) d'un homme qui, à son réveil,
constate qu'il s'est transformé en insecte.
Pas une jolie abeille, non, plutôt une vermine, un cafard…
Ce qui est surprenant, c'est que la métamorphose du héros ressemble
à un non-événement. Il devrait paniquer, sa famille appeler à l'aide…
mais la seule chose qui semble les inquiéter,
c'est qu'il ne pourra plus rapporter de l'argent à la maison
et qu'il risque d'affoler les locataires. Gregor Samsa, cet anti-héros,
ressemble à l'auteur comme un frère.
Et ce roman est triste à pleurer.

Franz Kafka naît à Prague le 3 juillet 1883, dans une famille juive. Il rencontre Felice Bauer en 1911. Ils entament une relation épistolaire et compliquée, se fiancent deux fois puis rompent deux fois. Après un doctorat en droit, il publie son premier livre en 1912, *Regard*, qu'il écrit en allemand comme tous les autres. Suivront *Le Procès*, *La Métamorphose*, *Le Verdict*, les *Lettres à Milena* (sa correspondance amoureuse avec Milena Jesenska), et enfin *Le Château*. Tuberculeux, il renonce à son projet de partir vivre en Palestine avec sa dernière compagne, Dora Diamant, pour entrer dans un sanatorium, près de Vienne. Il meurt en 1924.

La Métamorphose

1 un matin, au reveil, Grégor n'arrive pas à sortir de son lit

2 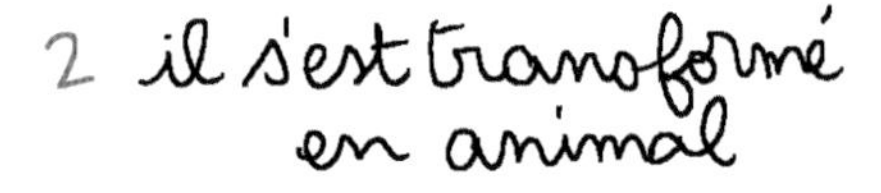

3 la porte de sa chambre est fermée à clé

4 sa mère et sa soeur Grete s'inquiètent de ne pas le voir sortir

5 son patron, étonné que Gregor ne soit pas au bureau, arrive chez lui

6 Gregor essaye de les rassurer à travers la porte, mais il parle d'une voix d'animal

7 finalement, il parvient à ouvrir la porte

8 sa famille est bouleversée mais reste très calme

9 Grete lui donne à manger mais il n'aime plus ça

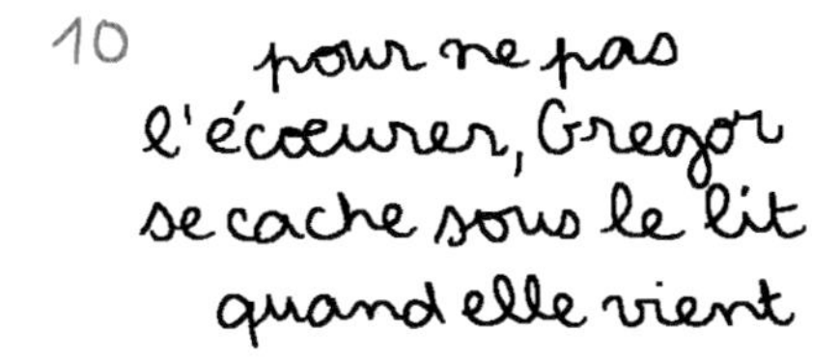

10 pour ne pas l'écoeurer, Gregor se cache sous le lit quand elle vient

11 la famille est obligée de prendre des pensionnaires

12 un soir, Grete joue du violon pour les pensionnaires. Gregor aussi veut la voir

13 les pensionnaires, en le voyant, sont dégoûtés et s'en vont sans payer

14 son père est furieux de voir l'argent s'envoler

15 une pomme s'est incrustée dans sa carapace, ça s'infecte, Gregor meurt

16 la famille est soulagée

Les Misérables
de Victor Hugo

Même s'il avait pu se projeter dans l'avenir, Victor Hugo n'aurait certainement pas imaginé terminer… à Broadway, dans une comédie musicale qui, depuis sa création au Palais des Sports en 1980, a fait le tour du monde. Mais derrière « Les Miz », il y a *Les Misérables*, à la fois roman historique, histoire d'amour, pamphlet politique, réflexion philosophique. C'est en 1845 que le projet germe dans l'esprit de Victor Hugo. À l'époque, le livre s'intitule *Les Misères* et son héros Jean Tréjean. L'écrivain interrompt son travail pour cause de révolution en 1848… C'est durant son exil à Guernesey qu'il extirpe de sa malle aux manuscrits ce texte. Mais de l'eau a coulé sous les ponts de Paris, Gavroche est tombé des barricades, cette épopée s'intitule dorénavant *Les Misérables* et met en scène Jean Valjean. Lorsque le livre paraît en 1862, les critiques ne sont pas tendres et Flaubert se dit même exaspéré et indigné par le style négligé. Le public, lui, adore. C'est un immense succès. Déjà, toujours et encore !

Victor Hugo naît le 26 février 1802. À 14 ans, il écrit ses premiers poèmes et déclare : « Je veux être Chateaubriand ou rien ». En 1822, il épouse son amie d'enfance Adèle Foucher avec laquelle il aura cinq enfants. Les plus célèbres sont ses filles Léopoldine, qui mourra noyée et lui inspirera plusieurs poèmes des *Contemplations*, et Adèle, dépressive, et inoubliable grâce à la description cinématographique qu'en a fait François Truffaut. En 1831, Hugo publie *Notre-Dame de Paris*. Deux ans plus tard, il rencontre l'actrice Juliette Drouet qui devient sa maîtresse attitrée. Pour lui, elle renonce à sa carrière, avale pas mal de couleuvres et le suit en exil. Il meurt le 22 mai 1885 et file directement au Panthéon.

Les Misérables

1 Jean-Valjean est un ancien bagnard

2 il a été emprisonné parce qu'il a volé du pain

3 toutes les auberges sur sa route refusent de le servir

4 parce que ses papiers ne sont pas très rassurants

5 il finit par être accueilli chez l'evêque du coin

6
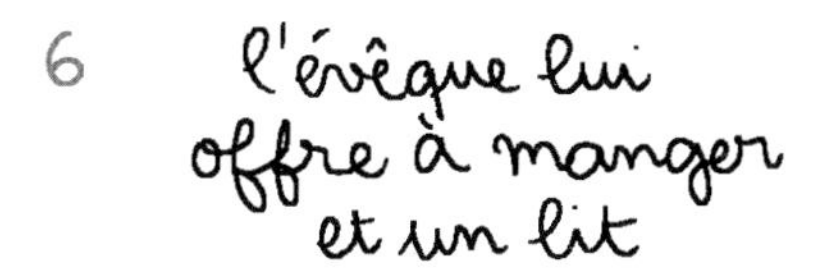

7 la nuit, il se réveille obsédé par les couverts en argent dont il s'est servi au dîner

8 il les vole et s'enfuit

9 mais il est ramené chez l'évêque par un policier

10 l'évêque, qui est bon et fin, ne veut pas que Jean Valjean retourne au bagne

11 en regardant dans les yeux Jean Valjean, il lui dit :

12 quand il est sur la route, il est en état de choc

13 il ne voit pas
la pièce qui roule
sous son pied

14
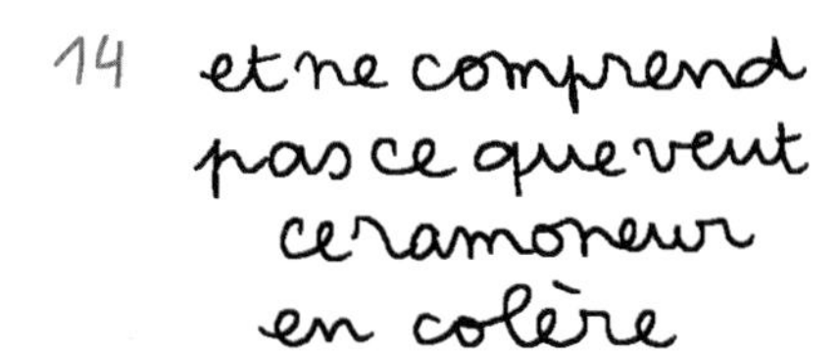

15 une fois seul,
il aperçoit la
pièce sur le sol
et comprend

16 le ramoneur
est déjà loin
et Jean Valjean
explose en sanglots

17 Fantine est une jeune ouvrière très amoureuse

18 elle part avec ses copines et leurs amoureux à la campagne

19 alors que la journée s'annonce merveilleuse, les garçons la plombent

20 Fantine est très triste et très inquiète car elle a une petite fille, Cosette

21 afin de pouvoir travailler, elle fait garder sa fille par des aubergistes, les Thénardier

22 les Thénardier sont atroces avec la petite fille

23 ils lui font tout faire : les courses, le ménage, la lessive

24 Fantine travaille dans une usine mais se fait renvoyer

25 désespérée, Fantine se prostitue pour envoyer de l'argent aux Thénardier

c'est combien ?

26 mais ce n'est jamais assez pour eux

elle vend ses cheveux et même ses dents

27 pendant ce temps, Jean Valjean a fait fortune avec une invention qui fait fructifier son usine

je suis devenu monsieur Madeleine

28 il y a un policier, Javert, qui ne croit pas en la réhabilitation des bagnards, qui le surveille

29 Jean apprend la terrible histoire de Fantine et veut absolument l'aider

30 mais c'est trop tard, elle est mourante

31 un homme va être condamné à sa place, pour avoir volé le ramoneur Jean Valjean se livre

32 et redevient bagnard

33 Comme il a promis à Fantine de s'occuper de Cosette, Jean Valjean s'évade

34 il doit acheter Cosette aux Thénardier, elle a 8 ans

35 il est toujours recherché, surtout par Javert, qui en fait une affaire personnelle

36 Javert le retrouve mais Jean Valjean réussit à lui échapper

37 il se réfugie dans un couvent, où il devient l'homme à tout faire

38 quand Cosette a 15 ans, il quitte le couvent pour retrouver la vraie vie

39 tous les jours, Cosette et Jean Valjean se promènent au jardin du Luxembourg, à Paris

40 c'est là que Marius aperçoit Cosette

41 Jean Valjean a à la fois peur de perdre Cosette et peur de se faire prendre par Javert

42 mais Marius, qui est totalement accro à Cosette, les retrouve

43 à cette époque, Paris est à feu et à sang

44 tout le monde est sur les barricades

45 Marius est blessé mais sauvé par Jean Valjean

46 quand Marius est guéri, il se marie avec Cosette sans savoir que c'est Jean Valjean qui lui a sauvé la vie

47 Jean Valjean avoue à Marius qu'il est un ancien forçat mais que Cosette ne le sait pas

48 il espace ses visites se laissant mourir. Marius finit par comprendre que c'est à lui qu'il doit la vie

Le Malade imaginaire de Molière

Molière n'était pas un malade imaginaire,
puisqu'il mourra à la fin de la quatrième représentation de sa pièce,
un ballet-comédie en trois actes dans lequel il interpréte Argan,
le vieil homme qui fait tourner en bourrique tous ses proches,
tant il est préoccupé par sa petite personne.
Lorsqu'il a l'idée de cette satire de la médecine,
inspirée très probablement de sa propre expérience de patient,
il la destine à la cour de Louis XIV. Il demande à Marc-Antoine Charpentier
d'en composer la BO, ce qui n'est pas du tout du goût de Jean-Baptiste Lully,
le musicien qui fait la pluie et le beau temps à Versailles
et a l'habitude de collaborer avec Molière. Donc, pas de première royale,
mais un lancement au théâtre du Palais-Royal le 10 février 1673.
Molière aura toutefois sa revanche posthume puisque
Le Malade imaginaire sera joué devant le roi l'année suivante.

Jean-Baptiste Poquelin naît le 15 janvier 1622 dans une famille de commerçants. Licence de droit en poche, il devient comédien. À 21 ans, il s'associe avec des amis et la troupe joue devant Louis XIV un spectacle dans lequel Molière a glissé une farce qu'il a imaginée. Le roi aime et lui met à disposition une salle. Sa carrière est lancée. En 1662, il épouse la fille de son ancienne maîtresse, Armande Béjart. Deux ans plus tard, son *Tartuffe* est interdit par le roi à la demande de l'archevêque de Paris, et les choses commencent à se compliquer pour Molière. Il meurt le 17 février 1673, sans qu'un prêtre n'ait pu venir à son chevet. Sa veuve devra intercéder auprès du monarque pour obtenir l'autorisation d'un enterrement religieux, mais qui se fera discrètement et de nuit.

Le Malade imaginaire

1 Argan se plaint toute la journée de douleurs

2 pour se soigner, il fait des lavements

3 il se dit que si sa fille, Angélique, épouse un médecin, il sera soigné 24H sur 24

4 mais Angélique aime Cléante

5 Béline, la deuxième femme d'Argan, essaye de manipuler son mari

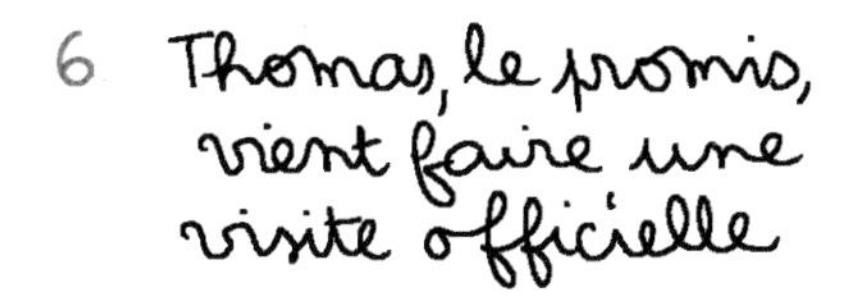

7 et confond Angélique avec sa belle-mère

8 Angélique refuse de se marier

9 son père la menace

10 le frère d'Argan arrive pour lui dire ses 4 vérités

11 et lui ouvrir les yeux

12 la servante imagine un stratagème

13 Béline est folle de joie

14 Angélique, elle, est désespérée

15 Argan est attendri par l'émotion de sa fille

16 et il devient médecin, comme lui a suggéré son frère

Autant en emporte le vent de Margaret Mitchell

Rarement adaptation cinématographique aura été aussi proche du texte original : Clark Gable EST Rhett Butler, Vivien Leigh EST Scarlett O'Hara. L'unique livre de Margaret Mitchell raconte l'histoire de cette guerre de Sécession qui a fracturé les États-Unis en deux. Au début, Scarlett devait s'appeler Pansy, et le roman *Demain est un autre jour*. Quant à Rhett Butler, il serait inspiré (même si l'auteur l'a toujours nié) de son premier mari, Red Upshaw, un vaurien irrésistible et violent. Lorsque le roman paraît, en 1936, c'est un raz-de-marée et les producteurs de cinéma se disputent les droits. Le film remportera dix Oscars, dont un pour Hattie McDaniel qui joue Mama, la nounou noire, et qui n'avait pas eu le droit d'assister à la première en raison des lois raciales en vigueur à l'époque. Les années ont passé, mais *Autant en emporte le vent* continue de susciter des polémiques car ses détracteurs lui reprochent sa « vision romantique » de l'esclavage.

Margaret Mitchell naît le 8 novembre 1900 à Atlanta. Elle se lance dans le journalisme et devient une reporter-vedette de la ville. En 1926, après avoir accumulé une imposante documentation, elle commence *Autant en emporte le vent*… par la fin. Sous la pression de son second mari, John Marsh, convaincu de son talent, la jeune femme va suer sang et eau pour écrire, réécrire, couper, modifier son manuscrit. Il lui faudra une décennie pour en arriver à bout. Sa publication, en 1936, lui apporte en quelques semaines richesse et célébrité, et l'année suivante le prix Pulitzer. Mais elle ne change rien à sa vie. Elle n'aura pas le temps de profiter de cette gloire toute neuve ni de s'atteler à un deuxième roman. Le 11 août 1949, à 49 ans, en traversant une rue d'Atlanta avec son mari, elle est renversée par un camion et meurt cinq jours plus tard.

Autant en emporte le vent

1 Scarlett habite chez ses parents en Géorgie

2 elle est très jolie, tous les garçons du coin lui tournent autour

3 mais Scarlett n'a d'yeux que pour Ashley

4 mais Ashley se fiance avec Mélanie, c'est prévu depuis qu'ils sont petits

5 Scarlett pense qu'il ne va pas résister à son charme

6 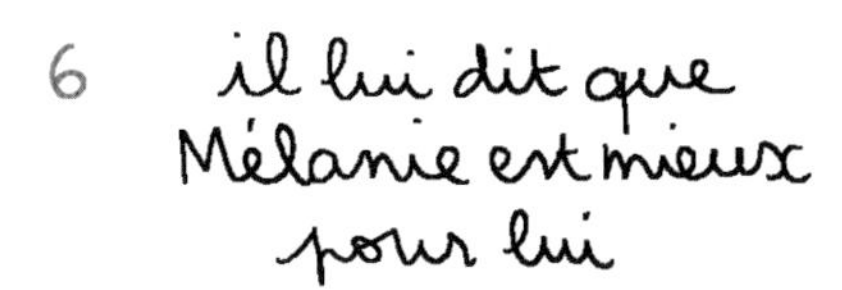
il lui dit que Mélanie est mieux pour lui

t'es mignonne, t'es sympa, tu m'as l'air sincère, mais je ne vais pas t'épouser

7 Scarlett aime moyen la réponse

8 par dépit, elle épouse le frère de Mélanie, Charles

9 Charles meurt sur le front de maladie

10 Scarlett part à Atlanta avec son fils Wade, Mélanie et Mama sa nounou

11 la ville est en feu, Mélanie est sur le point d'accoucher

12 Rhett Butler leur trouve une carriole et part au front

13 et il avoue à Scarlett qu'il est amoureux d'elle

14 le voyage est très éprouvant

15 quand Scarlett arrive à Tara, sa mère vient de mourir

16 c'est elle maintenant qui dirige Tara

17 la paix est signée, les soldats retournent chez eux

18 Ashley travaille un peu pour la plantation

19 l'argent vient à manquer, elle se dit qu'elle va en demander à Rhett

20 mais Rhett est en prison

21 il faut qu'elle se marie, avec le riche des alentours si elle ne veut pas vendre Tara

22 ils se retrouvent tous à Atlanta, Mélanie, Ashley, Scarlett et son nouveau mari (le fiancé de sa sœur)

23 Ashley et le mari de Scarlett entrent au Ku Klux Klan

24 le mari est tué lors d'une virée KKK, Rhett en profite avant que Scarlett ne se marie à nouveau

25 Scarlett et Rhett se disputent sans arrêt mais elle tombe tout de même enceinte

26 Scarlett interdit sa chambre à Rhett

27 Rhett adore sa fille

28 Scarlett est à nouveau enceinte mais alors qu'ils se querellent, elle tombe dans l'escalier

29 Bonnie meurt d'une chute à poney

30 Mélanie meurt d'une fausse couche, enfin Ashley est libre !

31 Scarlett court voir Rhett

32 elle retourne à Tara

Les Liaisons dangereuses de Pierre Choderlos de Laclos

On ne souhaiterait pas à notre pire ennemi de croiser la route de madame de Merteuil ou de Valmont, ces deux grands pervers manipulateurs et cyniques. Lorsque Laclos imagine cette histoire, il se trouve en garnison à l'île de Ré. Après avoir écrit quelques broutilles, il rêve d'une œuvre qui ferait du bruit, lui apporterait la reconnaissance et lui survivrait. Au XVIIIe siècle, le roman épistolaire est à la mode : Montesquieu et ses *Lettres persanes*, Rousseau et *La Nouvelle Héloïse*, Goethe et *Les Souffrances du jeune Werther* s'y sont déjà essayés avec talent. Lorsque Laclos publie *Les Liaisons dangereuses* en 1782, le succès est renforcé par le scandale. Les rééditions se succèdent, les contrefaçons aussi. Si cette aristocratie libertine plaît aux lecteurs des Lumières, elle séduit en revanche beaucoup moins ceux, plus prudes, du XIXe siècle. Il faudra le XXe et de grands supporters comme Proust, Gide ou Malraux pour que ce roman devienne un classique de la littérature française.

Pierre-Ambroise-François de Laclos naît le 18 octobre 1741, dans une famille de petite noblesse récente. À partir de 1760, il se destine à une carrière militaire, ce qui ne l'empêche pas, en 1781, de demander un congé de six mois pour terminer son livre, *Les Liaisons dangereuses*, qui paraîtra l'année suivante. Cet unique roman sera une exception dans une carrière essentiellement militaire et politique, menée sans grand éclat d'ailleurs dans l'un et l'autre domaine. En 1786, il épouse mademoiselle Duperré, avec laquelle il aura trois enfants. Nommé en 1800 par Napoléon général d'artillerie, il mourra trois ans plus tard à Tarente, en Italie.

Les Liaisons dangereuses

1 La marquise de Merteuil et le vicomte de Valmont ont été amants

2 ils sont très complices pour séduire et détruire les gens autour d'eux

3 ils se racontent toutes leurs histoires dans les moindres détails

4 la très jeune Cécile de Volanges, 15 ans, sort du couvent et doit se marier avec le comte de Gercourt

5 le comte de Gercourt a plaqué, il y a longtemps, madame de Merteuil; elle a très envie de se venger

6 et souhaite que le comte n'épouse pas une jeune fille vierge

7 en quelques jours, Valmont réussit son défi

8 Valmont cherche à coincer une femme mariée, très pieuse, madame de Tourvel

9 après des semaines, il arrive à ses fins

10 ce n'était pas prévu que Valmont tombe amoureux de madame de Tourvel. Ça rend folle de jalousie madame de Merteuil

HAHAHA, t'as l'air bête quand t'es amoureux... si tu la plaques, on couche ensemble

DÉFI 3

11 incapable de supporter les railleries et déconcerté d'être tombé amoureux, il quitte madame de Tourvel

j'ai dit que je t'aimais pour te baiser

BOUHOUH OUH

défi 3 DONE

12 Valmont exige son dû auprès de Merteuil (coucher avec elle) mais elle refuse

13 et elle balance à Danceny que Valmont a couché avec sa Cécile chérie

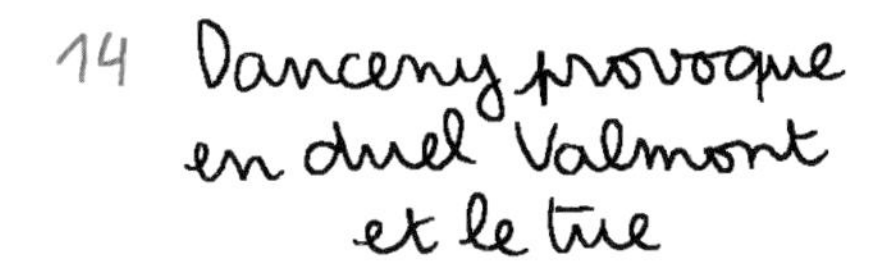
14 Danceny provoque en duel Valmont et le tue

15 madame de Tourvel meurt de chagrin. Le mariage de Cécile de Volanges est annulé. Elle retourne au couvent.

16 la correspondance est rendue publique, Merteuil est bannie

INDEX DES CLASSIQUES, PAR ORDRE DE PARUTION

Le Malade imaginaire, de Molière, paru en 1673

La Princesse de Clèves, de Madame de La Fayette, paru en 1678

Les Liaisons dangereuses, de Pierre Choderlos de Laclos, paru en 1782

Les Hauts de Hurlevent, d'Emily Brontë, paru en 1847

Madame Bovary, de Gustave Flaubert, paru en 1856

Les Malheurs de Sophie, de la comtesse de Ségur, paru en 1858

Les Misérables, de Victor Hugo, paru en 1862

Le Père Goriot, d'Honoré de Balzac, paru en 1873

Au Bonheur des Dames, d'Emile Zola, paru en 1883

Bel-Ami, de Guy de Maupassant, paru en 1885

À la recherche du temps perdu, de Marcel Proust, paru de 1913 à 1927

La Métamorphose, de Franz Kafka, paru en 1915

Chéri, de Colette, paru en 1918

Gatsby le magnifique, de F. Scott Fitzgerald, paru en 1925

Autant en emporte le vent, de Margaret Mitchell, paru en 1936

La Ferme africaine, de Karen Blixen, paru on 1937

Le vieil homme et la mer, d'Ernest Hemingway, paru en 1952

La Promesse de l'aube, de Romain Gary, paru en 1960

Belle du Seigneur, d'Albert Cohen, paru en 1968

L'Amant, de Marguerite Duras, paru en 1984

Conception graphique : Marie Pécastaing et Rue de Sèvres

SOLEDAD BRAVI

Le Livre des bruits
Le Livre des cris
Poulpo et Poulpette
Le Cyclope
Drago
Le Livre des plus petits
Chez moi
Dans la serre je serre un cerf
1,2,3,4 pattes
Si j'étais grand
Quand le chat n'est pas là
Animaux
Fruits légumes
Pompons et chiffons
Zoé
Maraboutdeficelle
Comme cochons

La Girafe jaune, le crocodile vert, le cochon rose et le perroquet rouge
Le Livre des couleurs
Ma famille à colorier
Le Livre qui sent bon
Minibible en images
J'ai mis dans ma valise
Maman, dans tes bras
Choisis un animal
Maman, comment on fait les bébés ?
Que font les animaux quand il pleut ?
Une journée avec le Père Noël
Mon petit doigt m'a dit

Avec Jérôme Lambert :
Les bisous c'est sur la joue

Avec Nathalie Laurent :
Le Cheval de Troie
Éole, Circé et les Sirènes
La Ruse d'Ulysse
Moustache
Le Grand Livre des rêves
Je pleure donc je ris
Abracadanoir
Tigrrr
Le Monstre

Avec Vincent Malone :
Amour, brouille et câlin

Avec Grégoire Solotareff :
Mon lapin

Avec Hervier Épervier :
Le Livre des j'aime

CHEZ LE MÊME ÉDITEUR

La BD de Soledad, la compile de l'année. T1
La BD de Soledad, la compile de l'année. T2
La BD de Soledad, la compile de l'année. T3
La BD de Soledad, la compile de l'année. T4
La BD de Soledad, la compile de l'année. T5
L'Iliade et l'Odyssée
POURQUOI y a-t-il des inégalités entre les hommes et les femmes ?

CHEZ MARABOUT

Les Paresseuses BD1
Les Paresseuses BD2
Pourquoi j'suis pas aux Maldives ?
New York et moi

Avec Juliette Dumas :
Shine ou not shine ?

Avec Pierre Hermé :
Pierre Hermé et moi

CHEZ CASTERMAN

Restons calmes

Avec Alix Girod de l'Ain :
La Vraie Vie du docteur Aga

CHEZ MILAN ET DEMI

Marie-Puce

CHEZ SOLAR

101 choses que je voudrais dire à ma fille
101 choses que je voudrais dire à mon fils
101 choses que je voudrais dire à mes copines

CHEZ BAYARD

Avec Lili Bravi :
Le Pigeon qui voulait être un canard

CHEZ DENOËL GRAPHIC

Bart is back